folio cadet ▪ premières lectures

Pour Willie et Cornelia – J. O'C.
À John Wagner
pour son aide précieuse et son amitié. – B. K.

Traduction de Pascale Jusforgues

ISBN : 978-2-07-065389-8
Titre original : *Eek! Stories to Make you Shriek*
Publié pour la première fois par Grosset & Dunlap, New York
© Jane O'Connor 1992, pour le texte
© Brian Karas 1992, pour les illustrations
© Gallimard Jeunesse 1997, pour la traduction française,
2013, pour la présente édition
Numéro d'édition : 252880
Loi n° 49-956 du 16 juillet 1949
sur les publications destinées à la jeunesse
Dépôt légal : mai 2013
Imprimé en France par I.M.E.
Maquette : Karine Benoit

PEFC
10-31-1093
Certifié PEFC
Ce produit est issu
de forêts gérées
durablement et de
sources contrôlées.
pefc-france.org

Trois histoires pour frémir

Jane O'Connor • Brian Karas

GALLIMARD JEUNESSE

Trois histoires pour frémir

Halloween   6

La poupée vivante   18

Le gros chien noir   34

Halloween

Ce soir, c'est Halloween. Ted attend son ami Danny. Ils doivent aller ensemble à la fête.

Ted a mis son déguisement. Un pantalon blanc, une chemise blanche, une ceinture noire et un bandeau noir autour de la tête. C'est un champion de karaté !

– Mets ton manteau, lui dit sa mère.

Ted fronce les sourcils.

– Voyons, maman! Les champions de karaté ne mettent pas de manteaux! dit-il.

– Ça m'est égal. Ce soir, il fait très froid. Tu ne sortiras pas sans manteau, répond sa mère.

Ted fait la grimace mais il obéit. Puis il va attendre Danny dehors.

Il fait déjà nuit et les arbres font des ombres terrifiantes sur le sol. Ted a hâte de voir arriver Danny.
Soudain, il l'aperçoit au coin de la rue. Danny s'est déguisé en monstre.

Il porte un costume en fourrure marron avec de grosses pattes pleines de poils et de griffes, et un affreux masque sur la tête.

– Ouah! Tu es terrible! s'écrie Ted.

– Grounk, répond Danny.

Puis ils s'en vont tous les deux à la fête.

Les enfants s'amusent comme des fous.
Ils jouent à attraper des pommes avec
les dents

et, au dîner,
ils mangent de la pizza.

Ensuite, ils font un concours de dégui-
sement. C'est Danny le grand gagnant.
– Grounk! fait-il en recevant son prix.
C'est un énorme paquet de bonbons.

Sur le chemin du retour, Danny dévore tous ses bonbons.
Après, il laisse échapper un gros rot.

– Tu es dégoûtant ! dit Ted.
– Grounk ! répond Danny.
Ted lui dit au revoir puis il rentre chez lui.

Le lendemain, Ted va sonner chez Danny. Ils vont toujours à l'école ensemble. La mère de Danny ouvre la porte.

– Danny est malade, dit-elle. Il n'ira pas à l'école aujourd'hui.

Ted est embêté.

– Je parie que c'est à cause de tous les bonbons qu'il a mangés après la fête, dit-il.

La maman de Danny a l'air étonné.

– Danny n'est pas allé à la fête. Il est resté couché toute la soirée! dit-elle.

«Mais alors... QUI était le monstre d'hier soir?» se demande Ted...

2

La poupée vivante

Sara n'en fait toujours qu'à sa tête.
Si elle veut se coucher très tard, sa mère
la laisse faire.

Si elle ne veut manger
que de la glace au
déjeuner, sa mère est
d'accord.

Dès qu'elle voit quelque chose, elle n'a qu'à dire : «Je le veux» pour l'obtenir aussitôt.

Un jour, Sara et sa mère passent devant le magasin de jouets. Dans la vitrine, il y a deux belles poupées : une grande et une petite.

OUVERT

La petite poupée a des cheveux blonds
et un joli sourire.
– Je la veux ! dit Sara.
Et elle entraîne sa mère dans le magasin.

– Combien coûte la petite poupée?
demande la maman.

La vendeuse sourit et dit :

– Ces deux poupées vont ensemble. Elles
coûtent 80 euros.

Sara se met à taper du pied.

– Je ne veux pas de la grande! Je veux
juste le bébé!

La mère de Sara sort son porte-monnaie.

– Tenez, dit-elle à la vendeuse, voici
80 euros. Gardez la grande poupée;
nous ne prenons que la petite.

3

Une fois chez elle, Sara sort la poupée de sa boîte.

« C'est curieux, se dit-elle, on dirait qu'elle n'est pas comme avant. Mais non, je dois me tromper. »

Sara pose la nouvelle poupée à côté de son lit.

En pleine nuit, Sara se réveille en sursaut. Quelqu'un vient de crier «maman!»... C'est la poupée! Pourtant, la vendeuse ne lui a pas dit qu'elle parlait. La poupée a l'air furieux.

«Impossible, se dit Sara, c'est sûrement moi qui me fais des idées.»

Mais elle commence à avoir peur.

Elle appelle sa mère et se cache sous les couvertures.

– Que se passe-t-il, ma chérie ? demande la maman.

– C'est ma poupée ! Elle n'arrête pas de crier et elle fait une drôle de tête !

Sara se met à pleurer.

– Je ne lui trouve rien de bizarre, dit la maman.

Sara regarde à nouveau sa poupée. Elle est toute souriante. Sara la secoue très fort. Mais la poupée ne crie plus «maman!». Elle ne dit rien du tout.

– Tu as dû faire un cauchemar, dit la
maman de Sara. Retourne vite au lit.
Ta poupée est très mignonne.

MAMAN! MAMAN!

MAMAN!

Sara se remet au lit mais elle se réveille quelques instants plus tard. On vient de lui donner un coup. C'est la poupée! Elle est venue se coucher dans le lit de Sara. Comment est-elle arrivée là?

– Maman! Je veux ma maman! crie la poupée. Ramène-moi au magasin!

Sara fait oui de la tête. Elle a bien trop peur pour parler.

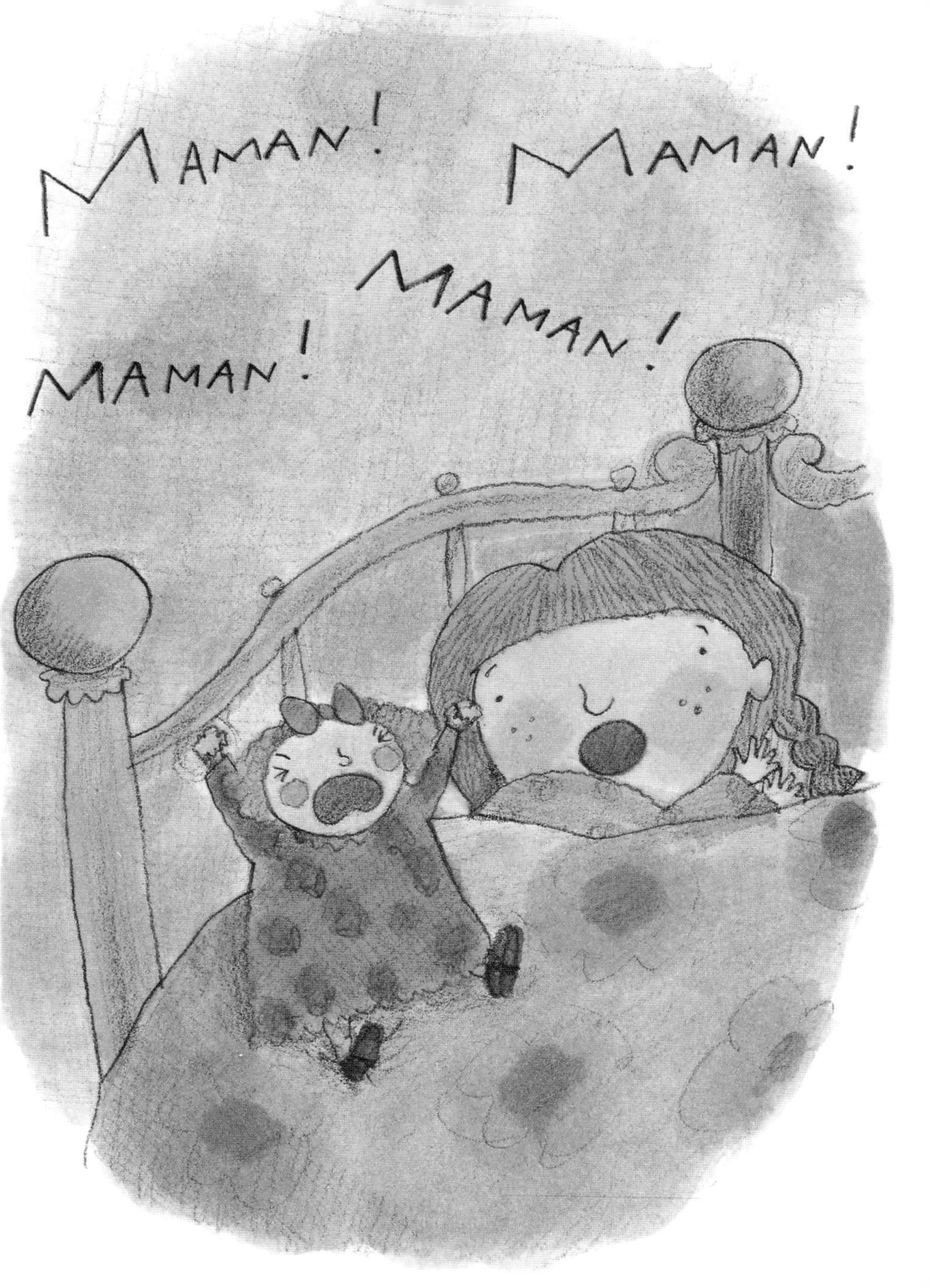
MAMAN !
MAMAN !
MAMAN !
MAMAN !

Le lendemain matin, Sara va rendre
la petite poupée au magasin de jouets.
La vendeuse la remet dans la vitrine,
juste à côté de la grande.

En partant, Sara se retourne une der-
nière fois.
Cette fois, pas de doute : la poupée a
retrouvé son joli sourire !

4

Le gros chien noir

Aujourd'hui, la famille Dubois déménage. Leur nouvelle maison est très grande. C'est normal, ils sont très nombreux.

Papa gare le camion.
Maman demande aux enfants de
l'aider à porter toutes les affaires
à l'intérieur.
– Dépêchez-vous, leur dit-elle. Je
n'aime pas les maisons vides !

Mais la maison n'est pas vide. En ouvrant la porte, les Dubois voient arriver un chien. Un gros chien noir plein de poils.

– Ouaf! fait le chien.

Puis il tend la patte. Toute la famille éclate de rire.

– Chic alors! s'écrient les enfants. En plus de la maison, nous avons un chien! Est-ce qu'on peut le garder?

Papa secoue la tête.

– Non. Ce chien appartient sûrement à quelqu'un. Où est ton maître, gros toutou?

Le chien se remet à aboyer. Puis il court vers une photo accrochée au mur.

– On dirait qu'il veut nous faire comprendre quelque chose, dit la maman.

Sur la photo, on voit un petit garçon avec un chien.

Le garçon lance un bâton en l'air et le chien saute pour l'attraper.

Pourquoi le gros chien noir regarde-t-il cette scène en remuant la queue ?

Est-ce qu'il est perdu ?

Est-ce qu'il appartient aux gens qui vivaient ici avant ?

Est-ce que cette photo leur appartient aussi ?

La famille Dubois n'en sait rien.

Papa emmène le chien dans le garage, et la photo aussi. Puis il prépare un lit pour le chien et lui dit :

– Tu passeras la nuit ici. Demain, nous essayerons de retrouver tes maîtres.

Dans la nuit, un terrible orage éclate.
Le gros chien noir gratte à la porte en
aboyant.

– Ouah ! Ouah ! Ouah !

– Non, non, non, je ne veux pas de toi dans
la maison, dit la maman, tu es couvert
de boue. Je vais te ramener au garage.
Et c'est ce qu'elle fait.

5

Le lendemain matin, il fait beau, l'orage est fini.

– Si vous alliez laver le chien dans le jardin ? dit la maman à ses enfants. Ensuite, nous l'emmènerons au commissariat de police.

Mais, en ouvrant la porte du garage, les enfants ne voient le chien nulle part.

Comment a-t-il fait pour sortir ? La porte était pourtant fermée à clé !

Les enfants cherchent partout dans le jardin.

– Où es-tu, le chien ? Montre-toi !

Mais le chien ne se montre pas.

Est-il parti dans la rue ? Non !

S'est-il faufilé dans la maison ? Non plus !

Tout à coup, les enfants entendent aboyer. Cela vient du garage. Ils arrivent en courant.

– Ah ! Tu étais resté caché ici, coquin !

Mais non. Le chien n'est pas dans le garage. Il n'y a que des cartons et la vieille photo trouvée dans la maison. Soudain, les enfants restent cloués sur place. Ils n'en croient pas leurs yeux !

JOUETS

À présent, il y a DEUX chiens sur la photo. Deux chiens qui essaient d'attraper le bâton. Le deuxième est un gros chien noir plein de poils.

Que s'est-il passé?

La famille Dubois ne comprend rien à ce mystère. Mais, depuis ce jour, on n'a jamais revu le gros chien noir.